C'est moi  qui lis

Le mystérieux ordinateur de Papy

Une histoire racontée par Ursel Scheffler
et illustrée par Ruth Scholte van Mast
Texte français de Danièle d'Hautil

Éditions Nord-Sud

© 1997 Éditions Nord-Sud, pour l'édition en langue française
© 1997 Nord-Süd Verlag AG, Gossau Zurich, Suisse
Tous droits réservés. Imprimé en Italie
Loi n° 49-956 du 16 juillet 1949 sur les publications destinées à la jeunesse
Dépôt légal: 3e trimestre 1997
ISBN 3 314 21081 7

«Salut jeune homme, j'ai du courrier
pour toi!» annonce le facteur à Victor
qui rentre de l'école.
«Oh merci! Une lettre de Papy!»
Impatient, Victor ouvre l'enveloppe.

«Maman! Maman! J'ai reçu du courrier
de Papy!» s'écrie Victor tout excité
en faisant irruption dans la cuisine.
Il crie si fort que maman en renverse
presque les spaghettis.
«Lis vite, mon chéri», dit elle.
Victor ne se le fait pas dire deux fois:

> *Mon cher Victor,*
> *Je te remercie pour ta dernière*
> *lettre qui m'a fait grand plaisir.*
> *Mais je serais encore bien plus*
> *heureux de te voir. Que dirais-tu*
> *de venir me rendre visite pendant*
> *les vacances de la Toussaint?*
> *Mille baisers*
> *Papy*

Maman jette un coup d'œil
au calendrier de la cuisine. «Mon Dieu,
mais c'est déjà la semaine prochaine!»

«Tant mieux!» dit Victor tout
en se servant généreusement.
«Le problème est que tu devras voyager
tout seul. Nous partons au Salon
de l'Informatique, papa et moi»,
réfléchit maman. Mais Victor la rassure:
«Ne t'en fais pas, je suis déjà grand:
je vais bientôt avoir huit ans, tu sais!»

Aussitôt le repas terminé, Victor file
dans sa chambre pour répondre à Papy.

Cher Papy,
Je peux venir !!! Tout s'arrange
bien! Papa et maman
partent justement au Salon
de l'Informatique. J'ai même
le droit de prendre le train tout
seul! Est-ce que je peux
déjà arriver dimanche?
Plein de bisous
Victor

Puis il se met à jouer.

Le dimanche
suivant, Victor prend
le train de huit heures. Durant
tout le voyage, il lit et relit la liste
des arrêts que papa lui a remise.
Il y en a sept en tout.
Quand le contrôleur passe,
il lui annonce: «Tu dois descendre
à la prochaine, c'est Val Fleury!»
«Oh, je sais, Monsieur, répond Victor.
C'est là qu'habite mon Papy!»

Le train a un quart d'heure de retard.
Papy trépigne d'impatience
et fait les cent pas sur le quai.
Pourvu que le petit ne se soit pas
trompé d'arrêt!
Finalement le train entre en gare,
freine bruyamment et s'arrête.
Une porte s'ouvre et Victor descend.

«Papy!» crie Victor en sautant au cou
de son grand-père. «Mais qui c'est,
celui-là?» Tout intrigué, il regarde
le chien que Papy tient en laisse.

«Ça, c'est Smok, dit Papy, une surprise pour toi. Il habite chez moi pendant que son maître est parti en cure.»
«Alors nous serons trois, c'est super! se réjouit Victor. Moi, j'adore les chiens. Je pourrais tenir sa laisse?»
«Bien sûr! Et moi je vais porter ton sac!»

Papy habite rue du Petit Bois, pas très loin de la gare. En route, Victor doit serrer très fort la laisse pour ne pas la lâcher: Smok est très remuant et tire comme un fou.
«Papy, tu te rappelles l'histoire que tu m'as racontée l'an dernier, celle du monsieur avec son chien magique?» demande Victor.
Mais Papy ne s'en souvient plus.
Bon sang, pense Victor, c'est bien la première fois qu'il oublie quelque chose!

Papy se racle la gorge et explique:
«Tu sais, j'ai déjà raconté tellement
d'histoires dans ma vie… Et puis
ma mémoire n'est plus
ce qu'elle était…»

Après un moment de réflexion, Victor décrète:

«Papy, tu as besoin d'un ordinateur!»

«Un ordinateur? Mais pour quoi faire?» demande son grand-père épouvanté.

«Eh bien, c'est simple. Papa en a un. Il écrit tout dedans: ses comptes, ses adresses et tout ce qui est important. Et quand il a oublié quelque chose, il interroge son ordinateur!»

«Ah bon», répond Papy, évasif.

«Papa dit toujours qu'un ordinateur, c'est vraiment génial, il dit aussi que…»

«Évidemment qu'il trouve ça génial, puisque son métier, c'est d'en vendre!» grommelle Papy. Il n'a vraiment pas l'air de partager l'enthousiasme de Victor pour les ordinateurs…

«On est arrivés! annonce gaiement
Papy. Tu peux détacher la laisse
de Smok.»
Le chien fonce dans la maison
comme un boulet de canon.
«On dirait qu'il a faim», constate Papy.
«Pas autant que moi!» renchérit Victor.
Tandis qu'ils montent les escaliers,
Victor renifle:
«Dis, c'est quoi, cette drôle d'odeur?»

«Mon gâteau, s'écrie Papy, affolé.
J'ai oublié d'éteindre le four!»

19

Papy se rue dans la cuisine et retire
le gâteau en bougonnant:
«Tant pis. Après tout, les gâteaux au
chocolat sont bien marron, pas vrai?»
«Maman, elle, a un four
avec ordinateur intégré. Il s'éteint
automatiquement, dès que le gâteau
est cuit», dit Victor.
«Ordinateur, ordinateur,
tu n'as que ce mot à la bouche!»
Papy a l'air un peu agacé.

Pendant le déjeuner, Victor demande:
«Dis, Papy, quand tu étais petit,
ça existait déjà, les ordinateurs?»
Papy réfléchit quelques instants.
«Hum, bien sûr. Tu sais quoi?
Après le repas, nous irons faire
une promenade avec Smok.
Alors je t'expliquerai que ces engins
modernes sont en fait vieux
comme le monde…»

Plus tard, dans la forêt, Victor relance
la conversation: «Dis, Papy,
tu m'expliques maintenant cette histoire
d'ordinateurs vieux comme le monde?»
«Eh bien, tu auras du mal à le croire,
mais ces trucs-là existaient déjà
quand j'étais tout petit.»
«Ils étaient comment? Papa raconte
qu'avant, c'étaient d'énormes
machines!»
«Non, au contraire! Ceux auxquels
je pense ont toujours été petits.
Je crois même qu'il doit encore
en traîner un dans la cabane du jardin.»
«Un ordinateur? Dans ta cabane?
Impossible! dit Victor. Tu l'as fabriqué
toi-même?»

Papy éclate de rire.
«Oh non, celui qui l'a construit
est bien plus grand que moi!»
Victor lève les yeux vers lui. Avec
sa casquette, il fait près de deux mètres.
Alors l'autre doit être un vrai géant!

«Je vais même te montrer l'endroit où,
aujourd'hui encore, on construit
ces ordinateurs.»
«Quoi? Une usine d'ordinateurs?
Ici, à Val Fleury?»
«Et pourquoi pas? demande Papy.
Cette entreprise existe depuis
des milliers d'années.»
«Papy! Tu ne me ferais pas marcher
par hasard?» Il s'étonne soudain
que Papy en sache plus que lui
sur les ordinateurs.
«Non, pas le moins du monde!
C'est juré!»
Papy a réellement l'air très sérieux.

Après avoir longé le fleuve, ils arrivent
aux jardinets. L'un des petits lopins
de terre appartient à Papy.

26

«C'est dans cette cabane que se trouve
ton ordinateur? Il doit être rouillé
depuis longtemps!» s'exclame Victor.

Papy sourit. «Mon ordinateur?
Penses-tu! Il est garanti inoxydable.»
«J'espère que tu n'as pas oublié la clé!»
dit Victor.
«Mais non, répond Papy, elle est sous
le pot de fleurs, comme d'habitude!»
«Même maintenant que tu as
un ordinateur à l'intérieur?»
«Même maintenant!» Il ouvre la porte.

«La sécurité laisse à désirer», constate
Victor en entrant. Il y a là du matériel
de jardinage, un vieil épouvantail,
des meubles poussiéreux et des toiles
d'araignée. Mais où peut-on cacher
un ordinateur dans tout ce fatras?

Papy ouvre les volets.
Pourtant, même avec de la lumière
et la meilleure volonté du monde,
Victor ne trouve rien.
«Alors, où est-il, ton ordinateur?
Et puis, comment est-ce qu'il peut
fonctionner sans électricité?» demande
Victor de plus en plus intrigué.
«Il marche à l'énergie solaire»,
répond Papy en riant malicieusement.
Victor n'en revient pas. Décidément,
Papy est à la pointe du progrès!

Papy fouille partout en maugréant.
«Oh là là! Pourvu qu'une souris
ne me l'ait pas chipé pour le grignoter.»
Vraiment, c'est à n'y rien comprendre.
Un ordinateur mangé par une souris?
Mais Papy poursuit d'un ton rassurant:
«Il est peut-être dehors! Viens, je vais
te révéler mon mystère dans le jardin…»

Smok est en train d'arroser
l'un des immenses pieds de tournesol
qui poussent le long de la clôture.
«Ouah! Ils sont plus grands que toi!»
s'étonne Victor.
«Bien plus grands!» renchérit Papy
en ramassant quelque chose
dans l'herbe, puis il se tait.
«L'ordinateur!» lui rappelle Victor.
Il ne le quitte pas des yeux.
Franchement, la mémoire
de son grand-père laisse à désirer!
«Je sais, je sais! Il est là, dans ma main,
répond Papy. Viens que je t'explique.»

Papy ouvre lentement la main.
«Abracadabra! Le voici, le voilà!
Il est noir, avec des rayures blanches,
tient dans la main et a une forme
parfaitement aérodynamique!»
Victor écarquille les yeux.
«Ça? Un ordinateur? Mais c'est
une vulgaire graine de tournesol!»
s'exclame-t-il désappointé.
«Exact, répond Papy. Mais ne sous-
estime pas ses capacités! Ma graine-
ordinateur possède des programmes
très élaborés, et tu serais étonné de voir
combien d'informations sont stockées
dans une chose aussi petite.»
«Comme sur un disque dur
ou une disquette?» interroge Victor.
Papy acquiesce. «Tout à fait.
Cette simple graine contient
toutes les données nécessaires
à la fabrication des fleurs et des feuilles.

Elle sait aussi comment une tige doit
être conçue pour permettre à l'eau
de monter jusqu'à la fleur – sans l'aide
d'une pompe!

Elle sait encore comment transformer
l'eau, la terre et la lumière en éléments
nutritifs dont la plante a besoin
pour pousser.»
Papy coupe une fleur de tournesol.
«Mais… la tige est creuse!» s'étonne
Victor.
«Absolument! Cela lui donne plus
de légèreté et de solidité, et lui évite
de se briser au premier coup de vent.»
Papy soupèse la lourde fleur
dans ses deux mains. Toutes
les graines sont groupées au centre.

«On dirait un gâteau», constate Victor.
«Oui, et notre graine en connaît
la recette», dit Papy.

«C'est un grand gâteau-ordinateur
qui, chaque automne, libère
des centaines de petites graines-
ordinateurs mûres, capables des mêmes
prouesses. Elles se multiplient ainsi,
toutes seules. Et ça, aucun ordinateur
au monde n'est en mesure de le faire!»
«Et l'automne suivant, chacune
de ces graines fabrique encore plusieurs
centaines de nouvelles graines, continue
Victor. Et dans deux ans, tu auras
tellement de tournesols-ordinateurs
que tu pourras en vendre
dans le monde entier!»
«Oui, s'il n'y avait pas les oiseaux…»
corrige Papy.

Papy jette la graine de tournesol
dans l'herbe.

Aussitôt, un moineau vient la picorer.
«Ça, c'est encore un énorme avantage,
dit Papy. Car tes ordinateurs à toi,
une fois qu'ils sont démodés,
ils sont jetés aux ordures.
Même un vautour n'en voudrait pas!»

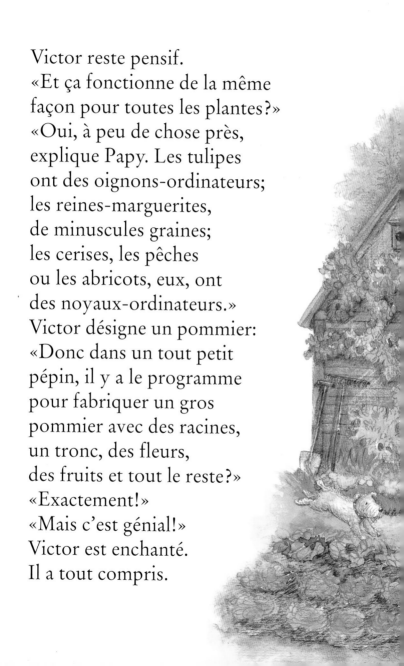

Victor reste pensif.
«Et ça fonctionne de la même
façon pour toutes les plantes?»
«Oui, à peu de chose près,
explique Papy. Les tulipes
ont des oignons-ordinateurs;
les reines-marguerites,
de minuscules graines;
les cerises, les pêches
ou les abricots, eux, ont
des noyaux-ordinateurs.»
Victor désigne un pommier:
«Donc dans un tout petit
pépin, il y a le programme
pour fabriquer un gros
pommier avec des racines,
un tronc, des fleurs,
des fruits et tout le reste?»
«Exactement!»
«Mais c'est génial!»
Victor est enchanté.
Il a tout compris.

Victor ramasse une coque de noix vide,
la remplit de terre, puis y dépose
une graine de tournesol.
«Je sais ce que je vais rapporter à papa
et maman: un tournesol-ordinateur
dans une coquille!»
«Excellente idée! dit Papy en riant.
Et crois-moi, ce modèle-là,
ils ne sont pas près de le trouver
dans le plus grand Salon
de l'Informatique du monde.
On parie?»

À propos de l'auteur

Ursel Scheffler (Ursel, en allemand,
signifie «Petit ours») est née
sous le signe du Lion. Mais elle aime
aussi les renards et tous les petits rusés,
à deux ou quatre pattes.
Quand elle est née, un jour d'orage
à Nuremberg (la capitale des jouets),
une bonne fée a dû se pencher
sur son berceau entre deux éclairs
pour le remplir d'imagination,
car elle a le don de raconter
des histoires. Elle en a déjà écrit
plus d'une centaine, sur son ordinateur,
et la plupart ont été traduites
dans de nombreuses langues.
Au dernier Salon des Fées, on racontait
qu'Ursel Scheffler vivrait actuellement
à Hambourg…

À propos de l'illustratrice

Ruth Scholte van Mast est née en 1964
à la frontière entre l'Allemagne
et les Pays-Bas. Toute petite déjà,
elle aimait dessiner des animaux
et des enfants. Après une formation
de dessinatrice en photogravure,
elle a travaillé dans la décoration
et la conception de tapisseries
avant de reprendre des études
de graphisme et de design à l'université
de Munster. Depuis 1994, elle vit
à Vreden, en Allemagne, et y travaille
en tant qu'illustratrice de livres
pour enfants.

Les enfants apprennent
à lire tout seuls
en s'amusant

Apprendre aux enfants
à lire avec plaisir,
leur faire aimer la lecture comme si c'était un jeu:
tel est le souci des Éditions Nord-Sud
à travers la collection «C'est moi qui lis»
en format de poche.

Cette collection aide les plus jeunes
à découvrir la lecture par:

• un choix de thèmes
destinés aux lecteurs débutants:
des histoires où l'imagination, le rire et le suspense
font que les pages se tournent d'elles-mêmes;

• des textes clairement structurés;

• des illustrations en couleurs qui accompagnent le récit
de bout en bout et en facilitent la compréhension.

Éditions Nord-Sud